Cékicékapété ?

Une enquête explosive de *Antonin Louchard*

EDITIONS
THIERRY
MAGNIER

Ce matin, Titi se lève tôt car il doit aller à l'école.

Il prend un bon petit-déjeuner.

Il se lave bien les dents...

... et s'habille tout seul,
comme un grand.

Max et Filou, ses meilleurs copains,
l'attendent devant la maison.

Il fait encore nuit quand ils prennent ensemble le chemin de l'école.

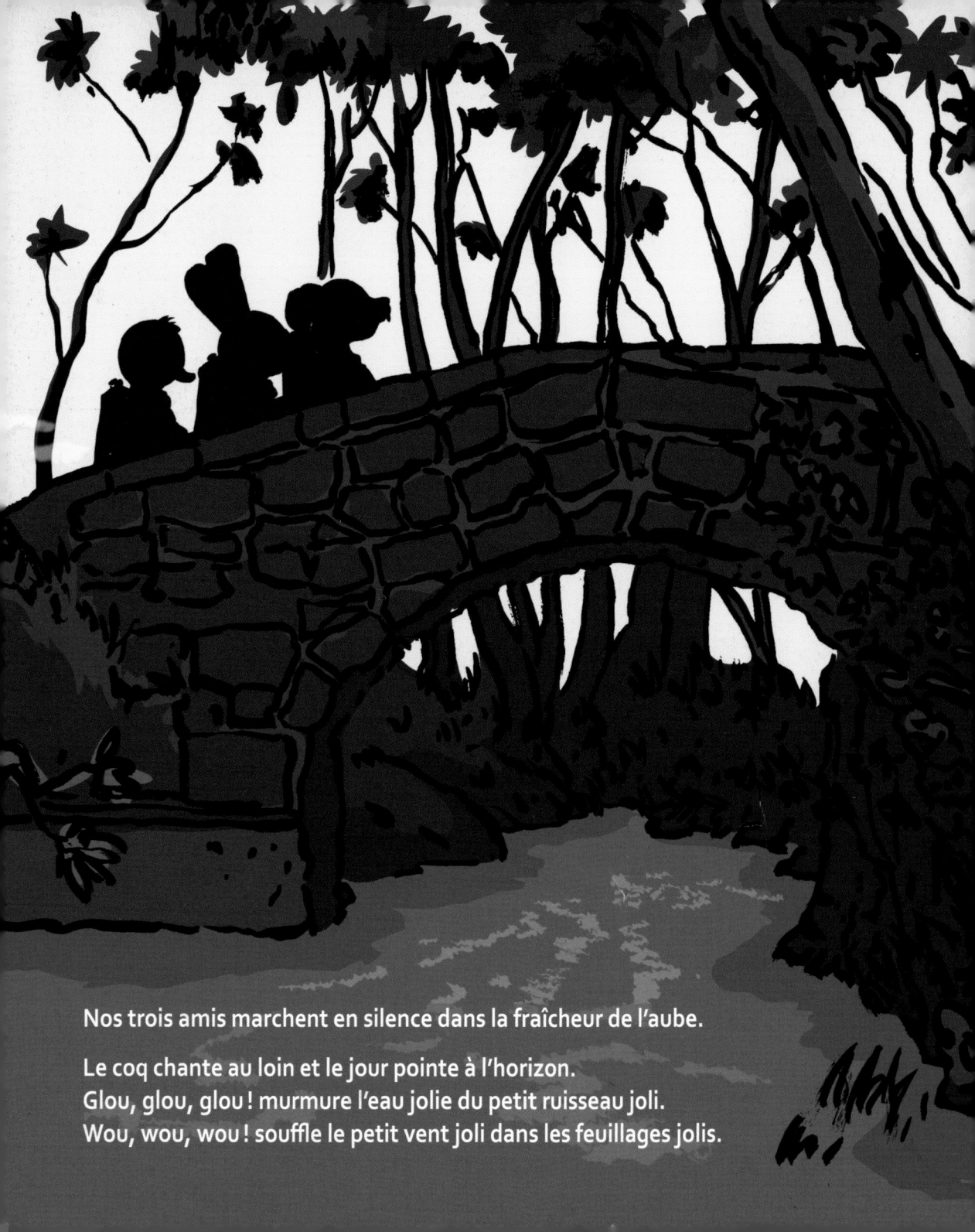

Nos trois amis marchent en silence dans la fraîcheur de l'aube.

Le coq chante au loin et le jour pointe à l'horizon.
Glou, glou, glou ! murmure l'eau jolie du petit ruisseau joli.
Wou, wou, wou ! souffle le petit vent joli dans les feuillages jolis.

– Ouh la ! dit soudain Titi. Ça sent pas bon !

Cékicékapété ?

– Pouet pouet cacahuète, répond Filou.
Moi, quand je pète, ça sent,
mais ça fait pas de bruit !

Nos trois amis marchent en silence dans la fraîcheur de l'aube.

Sur le chemin, la nature s'éveille doucement.
Cui, cui, cui ! sifflent les petits oiseaux jolis dans les arbres jolis.
Miaou, miaou, miaou ! miaule le petit chaton joli sur le mur joli.

Prou-ou-out !

– Encore ! Mais c'est pas vrai ça ! dit Titi.

Cékicékapété ?

– Prout prout choucroute ! répond Max.
Moi, quand je pète, ça fait du bruit, mais ça sent pas !

Nos trois amis marchent en silence dans la fraîcheur de l'aube.

Petit à petit, la ville s'anime de mille chants.
Gling, gling, gling ! retentit la sonnette du petit vélo joli.
Vraoum, vraoum, vraoum ! ronronne la petite auto jolie.

– Ben alors, Titi ? demande Filou.
– Ben alors, quoi ? dit Titi.
– Ben... tu pètes pas, toi ? demande Max.
– Ouh la la ! Bien sûr que si, je pète ! J'ai pété depuis longtemps !...

– Ah bon ? dit Max. Et comment ça se fait qu'on n'ait rien entendu ?
– Ah bon ? dit Filou. Et comment ça se fait qu'on n'ait rien senti ?
– Ben, parce que, moi, quand je pète, ça fait pas de bruit et ça sent pas, répond Titi.

– Mais, dis-moi Titi, si quand tu pètes, ça fait pas de bruit ?... dit Max.
– Mais, dis-moi Titi, si quand tu pètes, ça sent pas ?... dit Filou.

– Eh ben, quoi ? demande Titi.

– Eh beeeen...

– Pourquoi tu pètes ?

Éditrice : Angèle Cambournac
Assistante d'édition : Florie Briand
Maquette : Bärbel Müllbacher

© Éditions Thierry Magnier, 2014
www.editions-thierry-magnier.com
Isbn 978-2-36474-459-2
Dépôt légal : mai 2014

Loi n° 49-956 du 16 juillet 1949 sur les publications destinées à la jeunesse

Achevé d'imprimer sans flatulences par Grafiche AZ (Italie) en mars 2014
Photogravure : Terre Neuve